気になってるん！

01

二階堂和美さん

二階堂さんに会いに、広島へ。

二階堂和美さんは、広島の生家であるお寺で暮らしています。ご家族は、コントラバス奏者のガンジーさんと、二人のお子さん。

私が二階堂さんを知ったきっかけは、歌手としてのライブでした。「歌う」と「生きる」が重なり合うような圧倒的なステージに、心が震えました。どうやら僧侶でもあるらしいという情報は、その後知ることになります。だからといって、あのライブの佇まいは、歌手 × 僧侶からきている、という図解で表すには、あまりにも簡単すぎて乱暴だと思っていました。

音楽活動、お寺のお仕事、子育て、の二階堂さんの日々。ひとつひとつが全くといっていいほど異なる世界の中で、何を感じながら、どうすごされているのだろう。そう思いながら、ずーっと気になっていました。

そして、ついに今回、お話を聴く機会が！　しかも、二階堂さんのお寺ではじめましての気持ちで、歌うことや、お寺での生活など、たっぷりお話をうかがいました。

ループ舎 編集部

ガンジーさん
二階堂和美さん

もくじ

インタビュー

うたをうたうこと

二階堂さんが歌う姿を目の当たりにすると、
全身全霊とはこういうことかと思う。
彼女にとって歌うってどんなことなんだろう。

小さい頃の記憶

——小さい頃は歌うのがお好きでしたか？

二階堂　この本堂の縁側で踊り狂っていたらしいです。

——こちらで幼少期はすごされていたんですか？

二階堂　一歳から四歳までは隣の県に住む母方の祖父母と暮らしていました。

——そうなんですね。

二階堂　本当のおうちはここなんだけれど、母は小学校の先生をしていて、当時は土曜も午前中だけ学校があった時代なので、子ども二人の面倒を見るのが難しかったんでしょうね。それで、ここから車で四時間ぐらいかかる、母の実家に預けよう、と。

——わりと離れた場所ですごされていたんですね。

二階堂　両親や姉と会うのは月に一回ぐらい。ちょっと特殊な幼少期だったのかなと思います。祖父母が私にとってのお父さんお母さんみたいな存在で。

――お姉さんはいくつ離れているのですか。

二階堂　姉は三つ上。私が四歳になってはじめて広島の実家での暮らしが始まったんですけれど、戻ってきたその当時は、知らない人のところにもらわれてきた、ぐらいの気持ちでした。食生活も違うし、すべてに戸惑いました。でも、四歳までの三つ子の魂の時代を、本当にのびのびさせてもらって。祖父母がすっごく愛情を注いでくれたので、私は自由気ままに、幸せの感触しかなくて。

対照的に、こちらに戻ってきたら、けっこう厳しい父方の祖母がいて。いろいろ躾をし直されました。ハイジとロッテンマイヤーさんみたいな。私、その頃は左利きだったんですが、右利きに直してくれたのもその祖母です。右になったのは箸とペンだけですけど、とても感謝しています。小さい頃は、二人のおばあちゃんの両方から影響を受けましたね。

踊って狂って

――ご両親は音楽がお好きだったんですか。

二階堂　父も母も音楽は大体好きでした。かといって、レコードマニアだったり、コンサートによく行くとかではなくて、テレビでみんなで「欽どこ」見ましょう、とか、「家族対抗歌合戦」を見ましょう、という家庭でした。なんでも欽ちゃん（萩本欽一さん）だったんです。そういう番組で前川清さんや細川たかしさんにも親しんで。当時歌番組、多かったですよね、家族で見られるような。その延長で、小学生になれば「ベストテン」全盛期が来て。私の歌い始めは、テレビで見た歌手の真似をして、踊って狂ってで（笑）。よく八ミリビデオを父が撮ってくれていたんですけれど、それを見ると、踊り狂ってる。ピンク・レディーの真似をしたら、ああなりますよね。

――激しくなりますよね。

二階堂　ピンク・レディーから松田聖子ちゃんになっていって、っていう、

当時の普通の女の子たちが通る音楽をたどって、それが中学生ぐらいになってくると「歌を覚えるのが早いね」くらいの進化をして。当時は録画できるビデオがなかったから、「ベストテン」を見て歌詞を必死で覚えて、次の日に、学校のみんなで答え合わせをしてました。Aメロは○○ちゃんが覚えてくる、Bメロは○○ちゃんが覚えてくる、という感じで新しい曲を覚えていったんです。

――カセットテープには録らなかったんですか?

二階堂　姉が録ってましたね。私はまだ持っていなくて、ほとんど暗記。覚えた歌を歌って、踊って、みたいなお調子者でした。

――明るい感じのお嬢さんだったんですね。

二階堂　途中から徐々にそうなっていったんですよ。

保育所の頃にすんなりとコミュニティに入れなかったというのがあってから、小学校にあがってもあまり環境に馴染めないままいたんです。でも、歌って踊る「ベストテン」ごっこ遊びから、だんだん頭角を現していって、それがきっかけで友達が増えていった感じです。

――きっかけがあってよかったですね！

二階堂　ほんとうに、もう。歌でなら生きていけるかもって思いました（笑）。高校生の時も、みんなでバスで合宿に行く道中、カラオケの順番が回ってくると「いや～」とか言いながら披露するんですよ。すると周りがおお！ってどよめいたりして。

――やっぱりうまかったんでしょうね。

二階堂　モノマネしてたんです、レベッカとかの。高校、大学時代のコピーバンドの頃は、外国の歌を歌うようになって、発音の問題があるからとにかくそのまま真似していました。結局それが発音だけじゃなくて歌唱法も真似することになって。音楽的な教育は受けていなかったんですが、誰かの真似をすることで歌うことを習得したようなものです。

お姉ちゃんをぬいた日

二階堂　お経も少なからずは影響していると思います。お経って独唱なんです。僧侶である父がソロで読み始めて、その高さにみんな合わせて読んで。自分の耳で聴いて合わせていく、そういうのには馴染んでいました。
あと、姉もスパルタでね。小学生の頃、祖父母の家に帰省する時、移動中の車内でずっと自分が覚えてきた歌を口伝えで教えてくるんです。

——口伝えで！　お姉さんもすごい人ですね。

二階堂　姉が当時すごく恐くて、自分が覚えてきた歌を合唱させようとするので、ハモるパートまで教え込むんです。本当に苦痛の四時間でした（笑）。姉が歌うのを聴いて、その歌を覚えて、っていう、耳を鍛えるしかない状況。そんな風に、帰省する時はとにかく歌を仕込まれてました。
そうしていくうちに、姉をぬく瞬間がきたんです。松本伊代さんの真似で。

——なんと！

二階堂　「和美のほうがうまい！」って。

――お姉さんに言わせたんですか！

二階堂　「松本伊代の真似は私にはできない」って（笑）。松田聖子ちゃんの習得は圧倒的に姉が早かったんです。でも私が伊代ちゃんの「センチメンタル・ジャーニー」を歌っていたら、姉に「その鼻声はどうやったらできるんだ」って言われて、初めて姉にできないことができた！　って嬉しくなりました。真似をしていたつもりではなかったけど、真似になってて、あ、真似すれば勝てる！　と。

そんなアイドルの真似が私の歌の原点なんです。高校生の時にバンドのボーカルに誘われたのも、バスのカラオケで歌ったのがきっかけだったし。そのまま大学に入って、軽音楽部に入って、って、今に繋がっているんです。

――ずっと歌い手だったということですよね。

二階堂　一応そうですね。でもバンドを始めた高二ぐらいまでは、お掃除時間にほうきをマイク代わりにして歌うというくらいの歌い手ですから。

――周りからうまいね～と言われると、自信はついてくるんですか。

二階堂　まさにそう言われながら、自信がついてきた感じです。本当に全部そうなんですよ。試し試しというか、おそるおそるやってみたことに対してのみなさんの反応で、どうにか今までやっていて。ずっとそうです。今も。

広島で歌うきっかけ

――大学を卒業後、東京で音楽活動をされていた二階堂さん。二〇〇四年に広島に拠点を移されてからのお話をうかがいたいです。

二階堂　音楽活動自体は東京や大阪に行ったり来たりしながらやっていましたが、地元の人たちには全く見えない状況だったと思います。趣味の程度というか。それがある時、地元の慈善団体のご婦人方が「二階堂さんのコンサートをやりましょう」と家を訪ねてこられたんです。でも、私がその当時していた音楽は、今よりもわかりにくい、いわば玄人向けの音楽だったはずで。なので、この方達に喜んでいただけるようなオーバーグラウンドな音楽性を持ち合わせていない、と思って、はじめはお断りしていたんです。それでも一年くらいかけて、食事に誘われたり、いいバーがあるのよ！　とか声をかけられたりしながら、みなさんたちと打ち合わせを重ねまして。

――あの手この手で誘ってくださったんですね。

二階堂　そんなことをしているうちに、私もみなさんのニーズがだんだんとつかめてきて、なるほど、やってみたらやれるかも、やってみようかなと…。

会場は最初から決まっていて、地元の七〇〇人ぐらい入るホール、というか体育館、そこでコンサートをすることになったんです。結局、ポスターやチラシ、音響の手配とか、制作全般こちらに任されたりして、あれ？　ってくらい巻き込まれたんですけどね。地元で初めての「二階堂和美コンサート」ですから、入場無料ではあったんですけど、いいものにしたい、とがんばりました。大阪から「みにまむす」っていう友達のバンドを呼んで、ソロとバンド編成と。会員さんや地域のみなさんも一生懸命宣伝してくれて、ほぼ満席にしてね。自分の曲と、みなさんが知ってそうなカバー曲と、いろいろ取り合わせて約二時間のワンマンショー。それを会場の人たちが「よかった！」って涙してくれて。

──うわ〜〜。

二階堂　私もアンコールで歌った時に、感動で、もう後半、レコード大賞受賞した歌手みたいになっちゃいまして。

――花束を持つみたいなぐらいに。

二階堂　持たせてもらって。わ〜って観客のおばちゃん、おじちゃんたちに拍手をもらったら、もう、声にならなくて。その出来事があって、地元でやっていくことや、この世代の人たちに楽しんでもらえる音楽もできるかもしれない、っていう自信になったんです。それまでは音楽が好きな、ごく一部の人にしか自分は通用しないと思っていたんですが、おばちゃんたちがこんなに感動してくれるものを私は持っているかも、と。確信までにはまだ繋がらないんだけれども。

――肌で感じられたと。

二階堂　そうなんですよ。やるからには、自分なりに考えてステージに立ったのが、すごく、こう、手応えがあったんです。

それから半年後くらいに、祝島っていう、ここからちょっと離れたところにある原発予定地の対岸の島で、反対派と賛成派で険悪になってるっていうのをテレビで見たんです。おばちゃんが「お祭りがなくなって、楽しみっちゅうのがなくなった」って言っていて。「私、歌いにいこっか！」ってポロっと友達に言っちゃったんですよ。そしたら、その友達がババババババーっと進めてくれて、もう次の週には行くことになっていました（笑）。

―― まわりの方の力がすごいですね。

二階堂　すごかったです。あの時はびっくりしました。ＹｏｕＴｕｂｅに「にかちゃんライブ＠祝島」って、あがってるんですけど、ものすごく盛り上がったんです。私の歌は単なるきっかけで、島の人たちの「楽しみ」が爆発した形です。そういう出来事がちょこちょこあって、私に何かできるかもしれない、東京での活動とは違う、ここに暮らす私だからこそできる何かがあるかも、っていう気持ちが膨らんでいきました。

それが二〇〇九年だったんですけど、そのあたりから、二〇一一年発表の『にじみ』というアルバムの道筋ができたんです。

私がここで暮らしながらやれる音楽として、まず周りの人に楽しんでもらえないと続けていけない、っていうのが根底にあって。でも、カバー曲だけやっていても、アルバムを出すのにはちょっと違うな、とも感じていました。なので、流行歌のカバーみたいな新曲、っていうのを探っていきました。

「女はつらいよ」など、そういう目線で作った曲がだんだん出来てきたんですが、それがコアな音楽ファンの方々に受け入れられるかどうかは別問題で、でも、もうそこは考えないで進もうと割り切っていたんです。それが、いざ出してみた時に、すごくありがたい反応をいただいて、「いいんだこれで！」ってなりました。

―― 二階堂さんの代表作『にじみ』までの道のりは、かなりの手探りで進まれたのですね。

二階堂 本当にそうですね。

そうやってできた『にじみ』のツアーの時はバカみたいに泣いてました。私のすべてをここに投入する！ ぐらいの勢いで、「ツアーが終わったら、あとはお寺を継ぎます」っていう気持ちでした。一回一回、これで最後、これで最後、みたいな。ちょうど東日本大震災の直後でしたし、生きていくということをみんなひしひしと問うていたと思うんです。命とか、あるいはステージに立つってことだったりとか。いろいろな思いをぐーっと抱えながら歌っていましたね。

歌い続けて

――最近の音楽活動についてはどのように感じられていますか。

二階堂　地方に住んでいると、自分がやりたい音楽の世界がわからなくなってしまうことがあるんです。しかも他に仕事があったり、家族と暮らしたりしているとなおさら。そんな中でコントラバス奏者のガンジーさんと結婚したことは、音楽活動の味方になってくれるスタッフが来てくれた、という感じがあります。

――だいぶ心強いですよね。

二階堂　いや〜ほんとにそうなんです。ピアノ担当の黒瀬みどりちゃんは、こっちに戻ってから出会った人ですが、今や音楽をする上では本当に離せない身の一部みたいな人ですし。

今もそうなりがちなんですが、日常的なことだけで、日々どんどん動いていっちゃうんです。お寺って雑務が思いのほか多いし、来客も。そういうの

だけで、一日っていくらでも成立して終わっていくというか。パソコンを開いて、外部の世界と繋がることをしない限り、全く音楽と触れ合うこともない。それでじゅうぶん一日が終わっていく。何をやっているんだろうとも思わないぐらい、充実感さえあるんです。

でもそこにガンジーさんという、音楽家の味方が家の中に居てくれるようになったおかげで、音楽における孤独感がなくなりました。まあ彼もうちのお寺のお坊さんになっちゃったんですけれど。

逆にいうと、二人で手分けして、音楽もやりつつ、お寺もやりつつっていうのを周りの方にも見える形で続けていくと、だんだんみなさんが認識してくださっていって。このお寺の人たちは、どうも音楽もやってるみたいだよ、っていう風に。今、ようやく両方やっていく形がとれている状態ではあるんです。

広島での音楽活動は、二〇〇四年の帰省から数えると十五年。二〇〇九年の地元でワンマンをやった頃がひとつの転機で、二〇一一年に『にじみ』をリリース、そして二〇一三年のスタジオジブリ映画『かぐや姫の物語』の主題歌、で、今を迎えています。

初めてのアルバムを出してから今年がちょうど二十年なので、考えてみたら、もう四分の三がこちらでの活動なんですよね。東京でのキャリアなんて最初の五年間で、短いな〜。でもスタートが東京だったし、広島でのライブは十年遅れて始めているので、帰省してからもホームはずっと東京だと思っていました。それがようやく、三年くらい前かな、年末に広島でのワンマンをやった時に、あ〜、広島がホームになってきたかもって。そう思えたのが嬉しかったですね。

KICKER

インタビュー

二階堂さんの「法話」って

僧侶としてのお仕事のひとつに、聴衆の前で仏法のお話をする「法話」というものがあるらしい。

二階堂さんは、「法話」をしているの？　どんな風に？

二階堂さんの法話って

――法話[※]のことを少し教えてもらえますか。そもそも、どんな時にされるのですか？

二階堂　年中どこかでやってます。各お寺や、民間の会館などでも。浄土真宗だと「法話案内」っていう検索サイトもある。うちでは年に四回ほど、「法座」と呼ばれる法話の会を企画しています。休憩をはさみながら、一時間半程度の話を聞く会です。一日に一回だけのこともあるし、二日間、朝昼晩どっぷり聞かせてもらう法座もあります。

法座には、大体、話すことが専門の「布教使」という資格をお持ちの先生を招いて、話してもらうんです。いわゆるご講師ですね。

私は、僧侶ではあるけれど、布教使の資格は持っていないし、ろくに勉強すらしていないんですが、「しゃべったり、歌ったりしてください」っていう内容で、講師として呼ばれることも年に何回かあります。

※【法話】僧侶などが仏教の教えに基づいた話を説き聞かせること。

――法話の会で歌ったりもされるんですね。

二階堂　逆に私の場合は歌わないと一時間半が持たないんですよ。基本は歌いながらしゃべる、といった感じで、四十分やって、休憩をはさんで、もう四十分というような構成です。

――音楽のライブと同じような尺ですよね。

二階堂　普通にライブですね。でもご依頼をしてこられる方が持っている「二階堂和美」のイメージはそれぞれバラバラなんです。ジブリ映画の主題歌のイメージだけの方や、ライブやＹｏｕＴｕｂｅでいろいろ知ってくださっている方、エッセイのファンの方など様々で。

なので、依頼の内容によっては、バンドを引き連れていくこともありますし、一人で僧衣でってこともある。ちゃんとステージを組んで照明もいれてっていうこともあれば、講義用の簡素なマイクシステムのことも。活発なお寺さんだと、普段から催しも頻繁にされているから、機材の手配も慣れてらっしゃったり。だから行く先々でスタイルは結構違うんですが、根本的にやっていることは、「話して、歌う」で、そう違わないんですよね。

――法話の会ではどのような歌を歌われているのですか。

二階堂　「とつとつアイラヴユー」や「いつのまにやら現在でした」といった、普段のライブでもよく歌う歌を出しながら、そこに仏教の話を交えたりしています。

　実際、仏教の書物にあるエピソードをもとに作った歌詞もあるので、歌からの流れで話もしやすいんですよ。

　例えば、『たとえあなたになら だまされてたって かまわない』※っていう歌詞は、親鸞聖人（しんらんしょうにん）が師と仰ぐ法然聖人（ほうねんしょうにん）に対して、この人に騙されて念仏して地獄に落ちたとしても、なんの後悔もないと言われた、っていうエピソードに重ねて書いたんです」という風に。

――なるほど。

二階堂　実はアルバムの『にじみ』（二〇一一年発売）に収録されている曲の

※「とつとつアイラヴユー」より

歌詞は、ちょっとずつ仏教の聖典をもとにしていたりするんですよ。『にじみ』の制作中は、お寺での仕事と、祖母二人を介護しながら、という時でもあったし。

——おばあちゃんお二人を、ですか？

二階堂　私一人でじゃなくて母と一緒にですけどね、父方と母方と二人いたんです。二人とも九十七、九十八歳まで長生きしました。母方の祖母は、今私たちが住んでいるお寺の隣、父方の祖母は、車で五分ほどの家に一人で住んでいました。

ヘルパーさんの助けも借りながら、両方へご飯を運んだり、病院へ連れていったりしていましたね。東京から戻った二〇〇四年からずっと、おばあちゃんの寝ている部屋の真上が私の寝床で、おばあちゃんにとって一番近い存在が私だったと思います。そんな中だったので、「死」と「生きる」ということをよく考えていましたし、辛くても生きなきゃいけないんだな、みたいなことを毎日思っていました。

どちらかというと、人の痛みのようなものがずっと近くにあったので、書く曲もどうしても人生や仏教の要素が投影されて…。そうして『にじみ』という一枚のアルバムが出来上がったんです。

だからね、法話の会で自分の歌を歌っても、仏教のお話にこじつけられるというか（笑）。それ以外にも、制作にかかわった仏教讃歌や、美空ひばりさんの歌を歌ったりもしますけれどね。

しゃべる、歌う

──二階堂さんはライブでもよくお話をされる印象があります。

二階堂　ライブの時は、しゃべりが長くなると、時々怒られるんです（笑）。二人やトリオ編成の時には、多少長くなっても許してもらえるとして、ビッグバンドを従えてる時はね、さすがにしゃべりすぎないように意識しています。しっかりセットリストを組んで、ここはしゃべりません、とか、ここで五分だけしゃべります、まで決めて、自由にしないようにしています。

──がっちり決めるんですね！

二階堂　やっぱりショーっぽく見せようと思ったら、そのほうが断然締まりますよね。だからビッグバンドの活動がメインの頃は、たまにピアノと私の二人でのライブをやると、すっごい解放感がありました。行き当たりばったり、出たとこ勝負な感じが。

あと最近では、お寺で歌うことが多くなってきたので、若い方の前で歌うこと自体が新鮮なんです。

――ライブと法話の会とでは何か違いはありますか？

二階堂　お客さんの反応も違うんですが、ライブだと、ミュージシャンとして音楽的な挑戦をやってみたくなるんです。音響や照明も整ってるから、パフォーマンスが増幅されるし。法話の会はそういう演出がない分ごまかしがきかないので、素でぶつかるというか、結構へこむこともありますけど、訓練してるなーって感じです。

――法話の会には、二階堂さんのことを何も知らないという方もいらっしゃいますよね。

二階堂　もう全然！　みなさん知らないですよ。「かぐや姫の歌の人」って知っていたとして、映画を見てくださってる方はごく一部、テレビの歌番組に出てたのを見た、とかそういうのを合わせても三分の一もいらっしゃらないと思う。ほとんどの方が私の名前も知らないし、プロフィールを書いた紙が事前に配られていたとしても読んでいない、という何の前知識もない方々ですね。

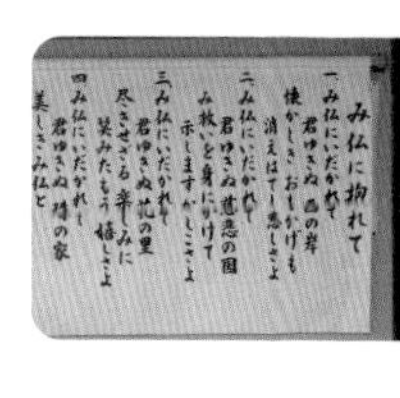

でもお寺に来られる方々って、何も知らないのが当たり前で来るんですよね。この人を知ってるから来る、ではなくて、仏さんの話を聴かしてもらおう、という心持ちでお寺に来るんです。おもしろかったらもっといいな、さらに歌聴けるんならいいわあ、って。そんなニーズを私もいただきながら、ほんと探り探りで続けてきています。

まだまだ修行中です

―― 毎回、毎回、模索しながらの法話なんですね。

二階堂 毎回ね。なにせ不勉強なので。歌がよかったと言ってもらうだけではお役目半減かなと。でもその歌から仏教の味わいがにじみでて伝わってくれたらと思ってやっていますけど。

もちろん、やってしまった〜、全然振るわなかったな、っていう時も中にはあるんですよ。前半がだめだった時は後半に雰囲気を変えてみたりもします。前半ではじけすぎて、会場が引いている感じがしたら、後半は少し落ち着いた曲を歌おうかな、というように。まあそれはライブでも全く一緒ですね。

私の法話の活動は、音楽活動全体のキャリアからみたら、まだまだやりはじめた段階で、場数を踏ませてもらいながら、試行錯誤してる感じなんです。法話のスタイルも、バンドを毎回連れていってたら先が続かないから、一人で乗り切れるようなやり方を、今、探っているところです。

――お一人で、というと、バックの演奏はどのように?

二階堂　バックの演奏は無しの、アカペラです。ギターをやれないことはないんですが、そうなると、逆に尼さんシンガーソングライターみたいになっちゃうのがちょっと嫌なので。

――なるほど。

二階堂　自分としては、音楽はプロフェッショナル、という自負もあって、法話の会とは分けておきたいんです。歌手「二階堂和美」の本領発揮の姿はコンサートに来て見てね、お寺ではお話とアカペラの歌で勘弁してください

ね、という気持ちで。でも、実際には分けられないところでもあるんですよね。

逆に、バンド演奏よりも、一人のほうが好きっていうような方もいらっしゃるんです。伴奏なしで歌だけのほうが、言葉がすっと入ってくる、と言ってくださったりして。あと、アカペラの場合は、歌いたいところだけ歌えるのがいいですね。一番歌って、間とばして、サビだけ、とか。カバー曲にしても、ここだけちょこっと歌う、という引用もできますし。

―― 一度、二階堂さんの法話に行きたいな、って思ってたんです。でも情報がインターネット上ではあまり出てこなくて。

二階堂　そうですよね。そういうのって、貼り紙や会報でのお知らせだったりするので。私がまとめるには数が多くて追いつかないのと、さっき話したような、歌手としての公演とどこで区分したらいいのかわからないというのもあるし。

まあ、そのうちね、いつ見られても恥ずかしくないような芸になってくれば…。今、まさに過渡期！　まだ下積み時代です。

―― 二階堂さんの法話について、すでに達人の域のように思われている方もいらっしゃると思うんです。

二階堂　そうなんですよ～。誤解を。人前に立って、しゃべったり歌ったりすることには慣れていても、それを仏法の話として、ありがたいな、って思ってもらうには、もっともっと教えそのものの知識を入れたいし、伝える技術もいるし、まだまだ修行中です。でもライフワークとしてやってみたい、という気持ちはあるんですよ。節談（ふしだん）とか、色んなジャンルの説教もやってみたいし、今までにないやり方も見つけられるんじゃないか、とか。私の生きている時間でいうと、今から新しいことを身につけるにはちょっと時間が足りないなとも思っているんですけど。

ほんとに普段から欲張りで、「あれもしたい、これもしたい、でもどれもできてない！」っていう状態だから。そろそろ、欲を捨てるってことも…。まあ、捨てられないのが私たちっていうのが仏の教えなんですけど。その葛藤の繰り返しですね。

インタビュー

二階堂さんが気になっていること

二階堂さんが最近気になっていること。
楽しいこと、モヤモヤなこと、いろいろと
聴いてみました。

鳩のこと

着かけの服

人生ってなに？

わたしの子守唄

わたしの子守唄

二階堂さんが
気になっていること

――今、お子さんはおいくつですか？

二階堂　下の息子は一歳でまだ授乳中です。上の娘は六歳です。

――今回、気になることとしてあげていただいた「子守唄」。実際はよく歌われるのでしょうか。

二階堂　十五年ほど前に『たねⅠ』というアルバムを出したんですが、そこに入っている「ユートンズ・テーマ」って曲は、子守唄からきていて。当時面倒をみていた「ゆうと」っていう甥っ子を寝かしつけるために、「ゆうとととっと〜」って歌っていたのを、そのままインストで演奏した曲なんです。

でも、うちの子は全然子守唄を必要としないままきまして。授乳をすると寝てくれるので、寝かしつけるために歌うことがあまりなかったんです。

でも、最近、下の子が三、四日くらい熱が下がらないことがあって、泣き続けるのでずっと抱っこしていたんですね。

その時は授乳も拒否されてしまって。やめると泣くので、夜中に他の人を起こしちゃいけないと思って、ずっと歌っていましたね。

とはいえ、子守唄とは言ってみたけれど、歌ではないんです。同じフレーズを繰り返してるだけで。

── 例えば、どんな感じなのでしょう？

二階堂 「ふーんふ　ふーんふふん」とか、抑揚があまりない、歌とも言えないような、ごにょーっとしたメロディ。声が身体の振動と一緒に響いて、心臓音だか体内で聴いた感じに近いものなんだか、わかりませんが、落ち着いてくれます。

その時は、「ふ〜ん」とか「は〜ん」で歌ってたんですけど、これをちょっと「とぅ〜」にしてみたりすると、あんまりな反応で。色気づくとダメみたいですね。またループ、ループって元に戻しました。

── ちょっとアレンジしてみたくなるんですよね。

二階堂 ですよね。単調だとこっちが退屈するからちょっとアレンジするんだけど、子どもはずっと同じフレーズを繰り返して欲しいみたいです。

そんな時に浮かぶメロディや、息子が実際気に入ってくれたフレーズを、録音しておきたいと思うんですが、そういう時には手元にないんですよね、スマホ。あれだけ繰り返してたんだから憶えてそうなものだけど、数分ですっかり忘れるんですよ。そんな感じでここ数日だけでも三、四曲逃してます（笑）。

子守唄って結局、シューベルトの子守歌とか色々あるけれど、きっとそれぞれのお母さんたちが何か編み出しているんでしょうね。

── それぞれのオリジナルの子守唄があるのかもしれないですね。

二階堂　そう思ったんです。

――一般的な子守唄を歌ってみられたことはありますか。

二階堂　上の娘の時には、「ねんね〜んころりよ〜」で寝てくれた時がありました。あのマイナーな音階の感じというか、むしろマイナーの方が、どうも好きそうだっていうことが、経験としてわかってきて。うちの子の場合だけかもしれないですが。

――お子さんに二階堂さんの曲を歌って聴かせることはあるんですか。

二階堂　ほぼないです。逆に上の娘は二、三歳の頃、私が何か歌うと私の口をつまんで「歌わんで！」と言っていました。

――へぇ！

二階堂　私が歌うことをむしろ拒否するんです。仕事モードに入った感じがして嫌なんだと思います。あと、娘は自分が歌うのを聞いて欲しいのもあるみたいです。

――お子さんは、歌うのはお好きなんですか？

二階堂　好きですね。決して上手くはないですけど。いつか上手くなるのかなって思うくらい、転調しすぎな感じです。まあみんなこんな感じなんでしょうけど、どこまで本気で直したらいいのか。

――ミュージシャンのご家庭だから特別な何かがあるということではないのですね。

二階堂　みなさんと一緒ですよ。

うちは、ＢＧＭがほとんどかかっていなくて。かけてると私はそっちに神経が集中しちゃうんで、ＢＧＭにはできないんです。インストでもそうで、音楽がかかってると会話ができない。そのかかってる音楽に関することなら話したりしますけど。夫も子どももみんなそんな感じ。音楽を聞くのは、一人で洗い物する時か、車に乗ってる時くらいで、子どもたちはわりと音楽が鳴っていない生活をしてますね。

―― 意外とそうなんですね。

二階堂 私のコンサートに連れて行っても、本番中はどこかよそに行きたがりますし。もう飽き飽きしてるのかもしれないです。

―― なるほど。

二階堂 でも娘は、私の曲をそんなに聴いてないはずなんですが、すごく覚えてるんです。以前、友達の家に行った時に、私の曲がかかって、それに合わせて踊っていたんですけど。この動画、ちょっと見てみてください。

―― すごい！ 二階堂さんと同じ表情をしていますね！

二階堂 もう顔芸ですよね。私のライブDVDが出てるからかもしれないですが、よその子がこの歌（「いてもたってもいられないわ」）で真似してくれている動画も見せてもらったことがあります。

―― みんな狂ったように激しく踊ってるんですね。

二階堂 影響力って怖いなと思いました（笑）。

鳩のこと

二階堂さんが気になっていること

二階堂さん
この鳩、今年三番目の入居なんですよね。
どうやら人気物件みたい、うち。
どの鳩も、つくりもの？　って思うくらい
動かないんですよ。

ガンジーさん
巣の作り方がテキトーなんだよね。
枝の量とか少なくて、スカスカだし。
こんなスカスカだったら
むしろ枝とか葉っぱとかいらないんじゃないの？　って
思うんだよね。

着かけの服

二階堂さんが気になっていること

──「着かけの服」というテーマをあげていただいたんですが、まず、着かけの服って何だろうと思いまして。

二階堂　アハハハハハ。いやいや、本当に着かけの服です。

一度着たけどまだ洗わない、着かけの服をどうしておけばいいのかっていうことです。自分のものはまだ把握できるんですけど、家族分になるともう手に負えない。娘の服も、例えばスカートやパンツは何回かはいて欲しいって思うので、着かけの服ができるんです。

──わかります。

二階堂　専用のカゴを用意してそこに入れてみるんですが、そこから取ってくれないんですよ。彼女は引き出しから新しいのを取りたくて、でも私はそこに着かけの服を混ぜるのは抵抗がある。みなさんどうしてるんだろうと思っているんです。

――　本当ですよね。人によって、着かけの服の選別も違うのかなと思います。

二階堂　うちの場合は、主に娘の話でいえば、ボトムが着かけの服になることが多いですね。子どもは特に袖口が汚れるから、上に着ているものは一度着たらだいたい洗いますし、中に着ている服も汗をかくので洗っています。

でもボトムに関しては毎回洗う気にならなくて。洗濯って、すれば必ず色落ちするし、糸抜けるし、首伸びるし。

クリーニングに出しても、色落ちしたり、張りのある素材だったものがテロンテロンになって返ってきたりすることもあって。シミと型崩れはどっちがその服をだめにするかと考えた時、シミのほうがましじゃないですか？　こう話すとすごく汚いように思えてしまうんですが…。

洗濯の手間と生地の傷みを考えると、むやみやたらと洗わないことを日本中に推奨したいと思っていて。

――　お風呂も毎日入らなくてもいい、というようなな？

二階堂　私はいいと思っています。

――　そうなんですね。ご家庭によるでしょうが、今では珍しいご意見かもしれないですね。

二階堂　そうなんです。でもおかしくないって私は思っていて。実際忙しくて、お風呂に入る時間を取るのって結構大変だし、でも子どもの教育上は二日以上は空けるわけにはいかないと思って（笑）。そこにジレンマがあるんです。

私はおばあちゃんたちに育てられたからかもしれないですが、昔はお風呂なんてとても贅沢なことだったはずで、もちろん入れば気持ちいいですし、入りたかったら入るのがいいと思うんですけど、必ず入らないと！　っていうのは何かに囚われ過ぎなんじゃないかなと思ったりもするんです。洗濯にしても、その囚われの感覚から、もう少し解放されてもいいんじゃないかと。
　世の中的に、洗濯を楽にするっていう発想だけじゃなくて、洗わないでいいんじゃないかっていう発想も、ね。
　学生の頃、制服はいつも同じのを着てたじゃないですか。シャツ以外は、全然私は良いと思っていて。そこを声を大にして、一応公表しておこうと思います。

――洗う問題、旅をしている時もありますよね。

二階堂　ですね。実際にツアーでライブをして、そのまま顔も洗わずに次の日帰るとか、よくあるんですよ。コートを着たままで寝てしまうこともありますし。
　そうすると着替えなんて何もいらなかったたって。化粧道具さえ、洗うことさえいらなかったと（笑）。

――そのまま行ってそのまま帰るという。

二階堂　何もいらなかったわ～となるんです。

――日常でもそのくらいの感覚があってもいいかもしれないですね。

二階堂　もちろん、季節や状況によりますけど、お風呂を一日休むとか、毎回は洗濯しないという感覚が、もう少し市民権を得ても良いはずだけどなあと思うんです。
　でもそれをどうやって子どもたちに伝えていったらいいのか。友達に汚い～と言われたら可哀そうだしと思うけど、推奨していくのであればそのくらい胸を張っておいてもらわないと。

――確かに。ご家庭まるごとのお話でもありますね。二階堂さんご自身の着かけの服はどんなサイクルなんでしょうか。

二階堂　季節や、ものによりますけど、三～五回は当たり前にそのまま着ます。汚れが気にならないものはワンシーズン、冬物のお出かけ着やコートは、汚れが気にならない限りそのまま。しまう時にブラシかけたり、チェックはしますよ。

私は帰宅したら日常着に着替え直すんです。でも家がお寺なので不意の来客多発なんです。だからそんなにドレスダウンしてはいけないんですよ。そこがちょっといつも悩むところです。

―― どれくらいのドレスダウンなのでしょうか？

二階堂 いわゆるスウェットとかではないけど、もうどうなってもいいくらいの、おばあちゃんのお古みたいな服を着てしまっています。洋服のランクとして、一張羅は別として、普段着でも三段階か四段階くらいあるじゃないですか。これまでスーパーや子どもの保育園の送り迎えはかなり最低ランクの服で行ってたんですけど、先日これではまずいと思ったことがありました。

―― 何かきっかけが？

二階堂 スーパーで子どもといたら「お孫さんですか？」って言われたんです。これはまずいなと思って（笑）。

化粧をしないで出かけるのもいけないんですけど、すでに他のお母さんたちと実質二十歳くらいの違いがあるんだから、よけい頑張らなきゃいけないのに、さらにドレスダウンしてるから。これはいけない、この考えは改めようと思ったんです。二十代の子が古着を着るのはいいけど、四十代がおばあちゃんの服を着たらそりゃただのおばあさんですよね。

―― それからは新しい服をよく買うようになられたのですか？

二階堂 ショッピングモールとかネット通販の服って、それなりのデザインなのにびっくりするほど安いからそれで簡単に解決じゃん、となりますよね。でもそれに乗っかっていくと、それこそ資本主義の感じになるんです。傷んだら捨てればいい、新しい服を買った方がよっぽど楽だしと思うと、昔の服を丁寧に着続けることへの疑問が芽生えてくるんですよね。

―― わかります。

二階堂 とはいえ、その大量生産、大量消費の流れは否定したい。結局、環境汚染とか戦争とか、社会問題の話に繋がっていくんですよ。なので、ここ五年くらいは意識して、なるべく安い服を買わないようにしているんです。「なんでこんな値段でオーガニックコットン?」っていうのもあったりするんですが、なるべくそこを見ないように…。できれば友達のブランドや作ってる人の顔が分かるものを買っています。

質の高い、少しの持ち物を大事にするっていうのをなるべくしたいと思ってはいるものの、志が高くないとできなくて、すぐ折れそうになるんです(笑)。心を強く持たないとできないですね。

―― そんな大事なお洋服だからこそ「着かけ」なのかと合点がいきました。実際に、二階堂さんの着かけの服はどう管理されているんですか。

二階堂 自分の服は、自分の着かけカゴがあります。でも、だいたい着た後ってやっぱり掛けておきたい、パサッとしておきたいんですよ。

―― パサッですよね。風通しをなんとなく。

二階堂 そしたら二、三日ちょっと忙しい日が続くとパサッがすぐ山になり…。それを見ると、日々の服のバリエーションって本当に必要なんだろうかっていう問題意識が生まれる。毎日、違う服を着ようとすると、そのパサッのバリエーションが増えるじゃないですか。昨日着たものをそのまま着るんだったら、なんて楽だろうって思ったりして。

―― そこにもまた気になることが。

二階堂　時間の使い方や片付けについて、断捨離本だと、さっささっさ捨てて物を減らすということが書かれてあるんですが、私が今考えてることは近いようでけっこう違うんです。ものを減らしたら思考も生活もすっきりしていいことづくめなのはわかるし、そうできたらいいなとは思うんですけど、そうできないというか。それだとちょっと違うんじゃないかって思うんです。

必ずしも自分が気に入ったものではなくて、なんかもう、ちょっといわくつきのものも残したいというか。

――捨てられない感覚、私にも身に覚えがあります。

二階堂　残したいと思う気持ちをバッサリやってしまうと、自分は整うかもしれないけど、人の痛みがわからなくなってしまうんじゃないか、みたいな。いただきものが多いお寺特有の感覚かもしれませんが、自分で選ぶことを優先すると、人からいただいたもので生活をするということが受け入れられなくなってしまう気がして、それは、何か違うんじゃないかと。

――なるほど……。

二階堂　まあ結局片付かなくて常にため息ついてる今の私の状態は、決して推奨できるものじゃあないですけど。

――片付けは常につきまといますよね。ご自身以外のものとして、旦那さんの服は洗濯や管理をどうされてるんですか？

二階堂　本当に、ネックですよね。洋服自体も大きいですし。数は多くないですけど、やっぱり男性の服は洗濯しないとだめなんだなってわかりました。というのも汚れや傷みが半端ないんです。本当にびっくりします。「えっ、ズボンがワンシーズンで破れるの？」って。

彼はドレスダウンしないんです。おしゃれ着のままで普通にご飯を作り始めて、汚れることに対する懸念が全くない！

結婚した頃はいろいろ見ていられなくて、エプロンをプレゼントしてみたりしたんですが、一度くらいしか着けてくれなくて、結局そのままで料理をしています。「着替えて〜」とか言うんですけど、言った時しか着替えてくれないし、言ってる自分も嫌になるから、もう見て見ぬふりというかそれを受け入れることにして。そうすると、だんだん自分までそっちに慣れてくるもんなんです。

育ってきた教えというか、躾からいうと、布団に服のまま入るなんてありえないって思うけれど、そんなこともだんだん見慣れてくると慣れるというか。

――旦那さん側に。

二階堂　結婚生活はそういうものなんだと思うんだけど、葛藤ですねえ。これは変えられない、生活習慣なんだなと諦めがついてきました。

でも、子どもに伝えるのをどっち流で伝えていけばいいのか、子どもたちは楽な方になびきますから…難しいなあと思います。

この件、どうしたらいいのか、常に揺れ続けているので、「気になる」んです。本当に生活感のそのままの話ですみません（笑）。

着かけの服

人生ってなに？

二階堂さんが気になっていること

――このテーマは、みなさんも気になることではないでしょうか。「人生ってなに？」というテーマ。

二階堂　このテーマは、服の話から派生して出てきた発想なんです。帰宅してわざわざボロに着替えて、いい服を大切にとっておく私って、「いつまで生きるつもりなんだろう？」と。

――といいますと？

二階堂　夫が、一張羅も気兼ねなく着倒して、すぐにダメにしていく。その一方で、私の服は捨てようと思うくらい傷んだことがなくて。そんなに丁寧に着ている自分って、本当にいつまで生きるつもり（笑）っていう。なんだか、ちょっとばかばかしくなってきてしまって。

――そんな発想だったのですね。

二階堂　父が先日亡くなったこともそこに重なってきて。父が、亡くなる二、三日前に新しいプリンターを買っていたりして、ほとんど使う間もなかったんです。ストック品もいっぱい持っていて、まだまだ生きるつもりだったんだな、と。

そういうつもりのまま、ふっと逝ったことが本人にとって心残りなのか、逆にふっと終われたんだったら、それはそれで幸せかもしれないなとも思ったんです。もちろん父の死に対して、悔やまれることは山ほどあるんですけど。でも、こうやって命が終わっていくこともある。全然計画どおりにいかないっていうのも、最近身をもって感じていて。

——どのようなことででしょうか。

二階堂　お寺の仕事で、父から受け継ぐべきことがいろいろあったんですよね。事務的な処理のことだったりとか、ここ二、三年、ずっと気になっていて、早く教わっておかないと、とは思いつつも、父が何か私に話しかけるたびに「ごめん！　今そんな暇ない！」って言って。先延ばしにしていたんです。

父が亡くなった数日後から下の子も保育園に行くようになって、時間ができたのにお父さんはいない、となってしまって。本当に計画どおりにいかないというか、後回しにしちゃいけないんだなあって思ったんです。

——そういうことなんですね。

二階堂　もう自分も四十五歳で、あと何年生きるつもりで、逆算して優先的に何ができるのか、って考えるんです。作品をひとつ残したい気持ちが先なのか、成長していく子どもたちとすごす時間を優先していくのか。残った人生、やりたいことをやっていかないと、足りなくなるなあと思って。そんなことを最近思っています。

——生き急ぐという感覚なのでしょうか。

二階堂　そんな切迫したものではなくて。やりたいことを後回しにしがちなんですよね、私は。やらなければいけないことに追われてしまって、自分がやりたいことを本当にできていないというか。
全部、頼まれたことや義務感優先で歩んでしまっているなと思うんです。ガンジーさんが料理を作ってくれるのはとてもありがたいけど、私だって作りたいんだけどな、っていう（笑）。そんなこと言ったらガンジーさんにも世間の皆様にも怒られますけど。

―― それは怒られてしまいそうですね。

二階堂　ですよね。そこはすごく自分勝手なところだとは思います。でも料理にしたって、買い物にしたって、私にとっては時間があればしたいことで。そういう日々のちょっとしたことも合わせて考えると、何を優先するのかなあって思うんです。

―― 内容は違えども、みなさんも日々感じることだと思います。

二階堂　今していることが納得できているわけではないという時間。みなさんお持ちでしょうね。それでも、がむしゃらっていうのはこういうことなのかなって思うんです。結局色んなことを考えても、私の歳で、できるタイミングや体力からいうと、全部、今しかない。やっぱりやるしかないのかなって。
すべて答えがない問いばかりで、自分との葛藤です。

―― やりたいことがたくさんおありなのですね。

二階堂　些細なことも含めると本当にたくさんあります。書を習いたいし、絵本の模写もしたい。絵本を読んでると、すごくウズウズするんです。絵を描きたいって。学生の頃に絵筆を持っていたので、これどうやって描いたのかな、とか、何の紙使っているんだろう、とか思ったりします。描く喜びっていうのを知っているので、それを子どもたちに教えてあげたいとも思いますし。

―― 教えることは、もしかすると二階堂さんがおばあちゃんになった時に叶うのかもしれませんね。お孫さんに対してとか。

二階堂　かもしれないですね。そういえば、編み物は祖母に習いましたね。子どもの手が離れたら、自分の子に対してじゃなくても、教えたいです。

―― 音楽についてやりたいことはあるのですか。

二階堂　音楽は、第一線というか新しいものを目指して、というのではなくなってきています。次の時代に何かを橋渡しすることだったり、自分自身の体が求めている「歌いたい」ことだったり、そういうことに耳をかたむけたいなあと思っています。

―― また違う域に入られているのですね。

二階堂　体が求めていることが何か聞けたらいいなと。ずーっと〝べき〟ということに縛られている傾向があるので…。

だから今回「気になること」というのを問うてもらったことも、いい刺激になりました。最初は出てこなかったんですが、ポツポツ言い始めているうちに、探り始めるというか。耕さないことには、何事も出てこないなあと。それはやっぱり努力な気がするんです。だから刺激を与えてもらうことで、やりたいことがあぶり出されていくという感じです。

こういう仕事をしておきながら、意外なほど、自分のやりたいことが奥に追いやられちゃってるんですよね。やるべきことと、やりたいことのせめぎ合いが一生続くんだろうなと。

―― やりたいことがたくさんのまま一生を終えることもありますよね。

二階堂　私はそれぐらいのほうが楽しくていいと思うんです。父のことでも、本当にそう思いました。

明日まで生きるつもりだった様子が見えて。買っておいてある色んなものを見ると、虚しさもあるけれど、ちょっと笑えてきて。なんだか、あっけらかんとしていて。どれだけ生きるつもりだったんだろうと。何かやりたいことが山積みな状態で死ねるっていうのはすごく幸せかもしれないと思うんです。

—— やりたいことを普段から周りの人に言っておけば、もしかしたら誰かが引き継いでくれるかもしれないですね。

二階堂　父からもずっと言われてきた頼まれごとがありました。父が三十年分ぐらいの「ラジオ技術」というオーディオマニアの雑誌を保管していたんですけど、それらを処分するために、専門的な引き取り先を調べてくれって。何回も言われていたのに、「暇になったらやる！」って後回しにしてたんです。でも、父が亡くなって一週間後くらいに、授乳しながらふと思い立って、スマホで検索したら、すぐでてきて。それから、ガンジーさんがびっくりするぐらい早く電話してくれて、すぐにダンボールが送られてきて。三十年分が一万五千円ぐらいで売れたっていう。

—— 意外とすぐにできてしまったと。

二階堂　本当に。一万五千円を高かったと思うか、安かったと思うかわからないけど、報告してあげたかったなあと。なんでたったこれだけのことができなかったんだろう〜って、笑い泣きしちゃって…！　でもそうやって父に言われてたからできたことではあるので。ひとつ、報告はできるな、と思いました。

それから、あともうひとかたまり、碁の…。

—— 他にもあるんですね〜（笑）。

二階堂　それも調べたら、あるんです、やっぱり。あ〜、これも早く調べて報告してあげればよかったって思います。簡単なこと、やればすぐできることをしましょう（笑）。

でも全部そうなんです。やれば全部できることなんです、ひとつひとつが。ハンガーに服を掛ける手間さえ惜しい人間にとって、どう時間を分配していくか。理想になかなか近づけなくて、なんでこうなってしまっているんだろう、と悲観しがちなんですけど、でも、いざ、表に出して整理すると少し解決策が見えてくるのは、確かなことで。

――話すことで行動につながることも。

二階堂　はい、私も今話していてちょっと決意をしました！　どれだけ生きるんだってことも含めて、「いい服を日常に着ていこう！」って。

よそいきは別として、ちょっとお値段も高くて、傷んで欲しくないけど、着ていて気持ちのいい服は、家でもそのままでいようって。普段の生活や、人に会う予定がない日でも、いつ死ぬかわからないし、気に入っている服は着よう！　ガンジーさんに「家では一張羅を脱いで欲しい」と言わないように（笑）、自分が逆に着よう。

普段から自分にとって気持ちのいいものを着ていたら、気持ちもあがるだろうし、残りの人生をカウントダウンして、傷むぐらい生きるんならいいかなあって。それはちょっとした変化ですね。生きるとか、人生のカウントダウンで考えたら、いろいろ、前に進めそうです！

――二階堂さんの気持ち良い決断がうかがえました。

二階堂　とはいえね、またみなさん帰られたら、この服、速攻着替えるんですけど！　子どもにぐちゃぐちゃにされちゃうしね（笑）。

◎インタビュー内容は二〇一九年四月のものです
◎協力　大龍寺・カクバリズム

編集後記

お寺でのインタビューの二ヶ月後、ふたたび広島へ、二階堂さんが出演する「LIVE GREEN」というイベントに行った。

野外でのそのイベントは、数日前から心配されていた大雨予報を軽々と裏切り、まさかの晴天。持っていったレインコートは、腰をおろすためのレジャーシートになった。そんなお天気も、二階堂さんの仕業のような気がしていたのは、私だけじゃなかったと思う。

「雨に唄えば」を燦々と歌う彼女が、お天道様に向かって大きく手を広げるとパーッと光が差し込んでくるようで、何かがやたらと眩しくて、何度も目をこすった。

〝いまのすべては　未来の希望〟※。歌声が会場に柔らかくのびていく。その日、一番響いた歌詞だった。

二階堂さんは、受け入れてくれる。毎日、どうしようもないことが起きるけれど、それを捨てることはしない。一緒に悩んでは、アハハと笑ってくれる。もやっとした曇り空に、晴れ間を見せてくれる人。私にはそんな人に思えている。

二〇一九年夏　ループ舎 編集部

※「いのちの記憶」より

二階堂（にかいどう） 和美（かずみ）

ジャンルにとらわれない音楽性と、類いまれな歌唱・表現力で国内外から幅広く支持されているシンガーソングライター。現在までに約20作を発表。代表作は2011年発表のアルバム『にじみ』。スタジオジブリ映画『かぐや姫の物語』(2013年) で、主題歌「いのちの記憶」を作詞・作曲・歌唱。近作に、21人編成のビッグバンド、Gentle Forest Jazz Bandと組んだ『GOTTA-NI』(2016年)。テレビCM歌唱に「サッポロ一番」他多数。

2019年1月、著書『負うて抱えて』が晶文社より刊行。

広島県在住。浄土真宗本願寺派僧侶でもある。

www.nikaidokazumi.net

気になってるん！ 01

2020年2月25日 初版発行

話し手	二階堂和美
取材・編集	ループ舎 編集部
発行者	宮川 敦
発行・発売	ループ舎
	〒630-8385 奈良県奈良市芝突抜町 8-1
	電話：0742-93-7786 FAX：0742-90-1444
	WEB サイト：www.loopsha.jp
印刷・製本	株式会社シナノ

ISBN 978-4-9909782-2-8